JOCELYNE OUELLET

Mon Ami,
mon double

Éditions de la Paix

Nous remercions le Conseil des Arts du Canada de l'aide accordée à notre programme de publication.

Nous reconnaissons l'aide financière du gouvernement du Canada par l'entremise du Programme d'aide au développement de l'industrie de l'édition (PADIÉ) pour nos activités d'édition.

Jocelyne Ouellet

Mon Ami,
mon double

Illustrations Daniela Zekina

Collection *Dès 9 ans*, no 40

Éditions de la Paix

pour la beauté des mots et des différences

© 2003 Éditions de la Paix

Dépôt légal 3ᵉ trimestre 2003
Bibliothèque nationale du Québec
Bibliothèque nationale du Canada
Imprimé au Canada

Illustration Daniela Zekina
Graphisme Vincent Gagnon
Révision Jacques Archambault

Éditions de la Paix
127, rue Lussier
Saint-Alphonse-de-Granby
Québec J0E 2A0
Téléphone et télécopieur **(450) 375-4765**
Courriel **info@editpaix.qc.ca**
Site WEB **http://www.editpaix.qc.ca**

Données de catalogage avant publication (Canada)
Ouellet, Jocelyne
    Mon ami, mon double
    (Collection Dès 9 ans)
    Comprend un index.
    ISBN 2-922565-90-4
    I. Zekina, Daniela. II. Titre. III. Collection: Dès 9 ans.
    PS8579.U377M66 2003 jC843'.6 C2003-941389-6
    PS9579.U377M66 2003

À Lili

**De la même auteure
aux Éditions de la Paix**

Collection Dès 9 ans

Julien César

Chapitre premier

Pierrot, veux-tu du gâteau ?

Par une douce matinée ensoleillée de printemps, je me rendais lentement à l'école. Je n'étais pas pressé d'aller m'enfermer dans la classe où aucune fenêtre ne laisse deviner le temps qu'il fait. Il pouvait y avoir la tempête du siècle ou un soleil resplendissant, dans la classe, c'était toujours le même temps, il faisait gris. Aucune couleur ne justifie mieux cette sensation que je ressentais à chaque jour d'école. Cette horrible classe sans fenêtre me donnait la vague impression que le temps s'était arrêté et que je ne recommencerais à vivre qu'à trois heures, lorsque le timbre sonnerait l'heure du départ.

Chaque matin, lorsque je posais mon pied dans l'embrasure de la porte, j'avais le sentiment que madame Fortier, notre professeur de sixième année, accaparait mon corps et mon esprit. Elle ne me les rendrait que lorsqu'elle en serait forcée, à trois heures, au son du timbre.

Pierrot le gros, Pierrot le gros, veux-tu un gros gâteau ? Pierrot le gros...

Lorsque j'ai entendu cette comptine, jamais je n'aurais cru qu'elle s'adressait à moi. Trois petites filles de première année que j'avais souvent aperçues dans la cour de récréation, trois petites filles aux cheveux dorés et à l'air innocent se tenaient par la main en faisant une ronde. Elles chantaient à tue-tête la comptine en me lançant des regards furtifs afin de voir ma réaction. Elles ricanaient et reprenaient de plus belle :

— Pierrot le gros, Pierrot le gros, veux-tu un gros gâteau ? Pierrot le gros...

Souvent des enfants s'étaient déjà moqués de moi. Mais c'étaient en général des

garçons de ma classe, de mon âge, à qui une petite provocation et une partie de *je vais te prouver que c'est moi le plus fort*, ne déplaisaient pas. La plupart du temps leurs insultes grossières m'atteignaient droit au cœur et, comme ils l'espéraient, on en venait aux poings.

Ces petites humiliations, ces petites batailles, j'en avais eu des tonnes. Mais là, c'était différent, très différent.

Ces mignonnes petites filles à qui on aurait donné le bon Dieu sans confession, ces gentilles petites filles que j'avais vues toute l'année s'amuser à la corde à danser, à l'élastique, à la marelle, ces trois petites filles, c'étaient elles qui m'insultaient. Elles avaient inventé une comptine à mon intention et attendaient patiemment, comme de véritables petits anges, que je réagisse à cette méchanceté.

Mon cœur en fut littéralement bouleversé. Physiquement, je le sentais s'emballer pour ralentir tout de suite après. Il avait reçu un choc et semblait avoir perdu l'équilibre. Il ne parvenait pas à retrouver son rythme normal et régulier.

J'aurais voulu les envoyer promener. J'aurais voulu les insulter à mon tour et même, peut-être, leur tirer les couettes. J'en étais incapable. Je baissai la tête et, fixant le bout de mes chaussures de course, entrai honteusement dans l'école, le cœur gros, prêt à exploser.

Cette journée charnière fut pour moi le début d'un horrible voyage qui m'amena très loin, aussi loin qu'il m'était possible d'aller. Cette journée me mena aux confins de l'enfer même ! Et j'ai la certitude que ce sont ces trois petites filles, ces trois petits anges, qui m'y ont précipité.

Chapitre 2

La mauvaise rencontre

Tu sortiras quand tu auras terminé tes devoirs et tes leçons, disait invariablement ma mère chaque soir d'un ton péremptoire.

Malgré le soleil radieux et malgré une horrible journée enfermé dans la classe grise de madame Fortier, j'étais une fois de plus confiné à ma chambre.

Au moins ici je peux voir dehors le temps qu'il fait, me disais-je.

Mais je trouvais injuste de ne pouvoir sortir pendant que mes camarades d'école — je les entendais par la fenêtre ouverte —, s'amusaient dans la rue.

Ma mère est trop sévère.

Silencieusement je sortis de ma chambre, descendis l'escalier et m'approchai d'elle. Dans une ultime tentative, je décidai courageusement de l'affronter :

— Je m'en vais dehors, déclarai-je en mettant dans ma voix toute la fermeté dont je suis capable.

Ma mère, occupée à couper les légumes du souper, sursauta.

— Je ne t'ai pas entendu arriver. Tu m'as fait peur, dit-elle.

Et puis, comme je m'y attendais, elle rajouta :

— As-tu terminé tous tes devoirs, Pierrot ?

J'hésitai à répondre. Si je disais oui, ma mère monterait vérifier et peut-être irait-elle jusqu'à me questionner sur mes leçons ; si je répondais par la négative, je savais très bien que je devrais retourner à ma chambre et ça, il n'en était pas question !

Sans répondre, je sortis hâtivement de la maison et me précipitai dans la cour où se trouve mon vélo.

— Pierrot, tu ne m'as pas répondu. Reviens tout de suite.

Pierrot, Pierrot, si elle pouvait cesser de m'appeler par ce nom de bébé, pensai-je, exaspéré, en enfourchant mon vélo. Je pédalai à toute vitesse et m'éloignai rapidement de la maison. La voix de ma mère s'amenuisa et bientôt je ne l'entendis plus.

Après un moment, essoufflé, je ralentis le rythme et me dirigeai plus lentement vers le parc.

Je ne vois pas pourquoi je devrais rester enfermé par une si belle journée, pensai-je rageusement. *Ma mère est injuste, et puis je fais ce que je veux, tant pis pour les autres.*

Arrivé au parc, j'appuyai ma bicyclette sur un banc et m'étendis dans l'herbe. Tout était si tranquille. À part quelques mamans qui poussaient leur bébé dans de petites balançoires, j'étais seul au parc.

Dans le ciel, quelques gros nuages blancs poussés par un doux vent printanier avançaient paresseusement. Ces gros nuages me firent penser à un jeu que j'avais inventé lorsque j'étais plus jeune, un jeu dont je ne me lassais jamais. Je disais que je jouais avec les nuages. Je m'allongeais, comme maintenant, sur la pelouse, et tentais de trouver une ressemblance aux nuages.

Celui-ci, on dirait un gros mouton ; l'autre, là-bas, c'est un beau cheval blanc.

Je m'amusais avec mon père à trouver le plus de ressemblances aux nuages. J'étais devenu très habile à ce jeu et je gagnais souvent. Chaque nuage devenait un animal, un objet familier, une personne. Mais ce jour-là, tout me semblait différent.

Je suis trop grand pour ces jeux idiots, pensai-je avec rancœur.

Je regardais quand même les nuages, mais ça ne m'amusait plus. Dans ma tête, je voyais les nuages s'alourdir, devenir gris et noirs. De puissants éclairs zébraient le ciel et une pluie diluvienne inondait tout. Triste à mourir, j'étais prêt à me laisser emporter par toute cette pluie imaginaire. Je pensai à ma mère qui allait certainement faire tout un drame.

Je frappai le sol de mes deux poings dans un mouvement de colère.

Tant pis, je fais ce que je veux, répétai-je comme pour m'en persuader.

Je songeais vaguement à rentrer chez moi et à m'excuser lorsque j'entendis :

— Hé ! Le gros ! Qu'est-ce que tu fais là ? Tu manges des fourmis ? Tu fais un bouquet de mauvaises herbes pour « ta môman ».

Steve Morissette, André Brisebois et Claude Grenade s'étaient matérialisés devant moi comme par magie. Ils se mirent à tourner autour de moi et à faire semblant

de me rouer de coups de pieds et de coups de poings accompagnés de cris sauvages.

Bien sûr, ils ne me frappaient pas vraiment, mais leurs cris étaient bien réels et j'étais terrifié. Voyant que j'essayais de me relever, Steve sauta sur moi à califourchon.

Pinçant les lèvres, je me répétais : *Non, je ne pleurerai pas. Je ne leur donnerai pas ce plaisir.*

Steve Morissette était le garçon le plus délinquant de l'école. À treize ans, il avait à son actif tout un tas de mauvais coups dont il se vantait sans cesse. Il portait des t-shirts à l'effigie de ses groupes musicaux préférés, tous très violents, et mettait dans ses cheveux un gel qui les maintenait en pics droits sur sa tête, imitant un chanteur punk. Tous les élèves de l'école se méfiaient de lui. André Brisebois et Claude Grenade étaient ses seuls copains, et eux aussi semblaient toujours rechercher les ennuis.

— Laisse-moi tranquille, espèce de débile, dis-je en regardant fixement mon assaillant dans les yeux. Il dut deviner à mon regard et à ma voix toute la haine et toute la rage que je ressentais depuis des jours, voire des années, envers ceux qui se moquaient de moi, car il se releva lentement. Pour ne pas perdre la face devant ses copains, il m'asséna un furieux coup de pied à l'estomac. Je me retins pour ne pas hurler de douleur et sentis à nouveau les larmes me monter aux yeux.

— C'est ça, fillette, me dit Steve d'une voix forte en émettant un rire forcé, va te faire consoler par ta « tite môman ».

Je me relevai, enfourchai mon vélo et m'éloignai à toute vitesse.

La douleur à l'estomac s'estompa lentement laissant place à une douleur encore plus grande, celle de l'humiliation. Je sentis dans mon corps entier une telle rage, une telle révolte que je n'avais qu'une envie, crier. Des larmes coulaient sur mon visage et ce n'est qu'après avoir pédalé de longues minutes que je parvins à me calmer.

Je suis gros et je n'ai pas d'amis, pensai-je amèrement, un sentiment de solitude incroyable s'emparant de moi. *Tout ça, c'est la faute de mes parents qui m'empêchent de me faire des amis,* me dis-je rageusement. *Je ne peux jamais rien faire, à part mes devoirs !*

À vrai dire, je n'arrivais pas à comprendre ce qui se passait. Je ne parvenais pas à démêler ni même à nommer tous ces sentiments qui me serraient le cœur. Un tourbillon d'émotions m'obscurcissait l'esprit. J'accusais mes parents, mais au fond de moi une petite voix me disait que je me trompais, que je devais regarder ailleurs.

Chapitre 3

Le nouveau

Je rentrai chez moi et montai à ma chambre dans l'espoir qu'on me laisse tranquille. Ayant encore en tête mon affreuse dispute avec Steve, je n'avais aucune envie de me faire réprimander.

Plus tard, lorsque mon père entra du travail, il frappa à la porte de ma chambre.

— Tu viens souper, Pierrot ?

— Non. J'ai pas faim.

Comme s'il devinait l'état dans lequel je me trouvais, mon père n'insista pas et ce n'est que plus tard, en fin de soirée, qu'il revint cogner à ma porte.

— Pierrot, est-ce que je peux entrer ?

Ma douleur s'était amoindrie, mais je n'avais envie de voir personne. Mon père poussa doucement la porte et me tendit une assiette contenant un sandwich.

— Tu veux qu'on parle ? me demanda mon père.

Sans m'en rendre compte, en un instant, je fus saisi d'un sentiment de colère incontrôlable. Je frappai l'assiette du revers de la main ; elle rebondit sur le plancher en se fracassant et son contenu se répandit un peu partout.

Mon père regardait l'assiette brisée et me regardait, tour à tour. Il n'en croyait pas ses yeux.

— J'en veux pas de ton sandwich, hurlai-je. Je ne mangerai plus. Je suis gros. Tu ne comprends pas ? Je suis gros et sans amis, et comme vous m'empêchez de sortir, je suis incapable d'en trouver.

— Pierrot ! Tu sais que ce n'est pas vrai.

Comme je hurlais et pleurais, mon père referma la porte et me laissa seul avec ma rage. Je pleurai longtemps ce soir-là et c'est en larmes que je m'endormis.

À mon réveil, j'avais l'impression qu'un géant appuyait sa main sur ma poitrine tellement j'avais le cœur gros, tellement j'étais malheureux. Sans un mot ni un regard pour personne, je m'habillai et quittai précipitamment la maison.

Comme je n'avais pas mangé, je me sentais mal et affaibli et je manquais de concentration.

Ah ! Ce qu'elle est ennuyeuse, madame Fortier, ce matin. Je déteste cette classe étouffante, je déteste cette école et je voudrais ne plus jamais y revenir, me disais-je laissant mon esprit partir à la dérive.

Je passai l'heure du dîner seul, sans manger, à faire semblant d'être occupé à lire une b.d. afin que personne ne me dérange. À une heure, lorsque le timbre sonna et que les élèves s'installèrent à leur pupitre, madame Fortier entra en classe accompagnée d'un gros garçon.

— Les amis, annonça-t-elle, j'ai une belle surprise pour vous. Vous allez avoir un nouveau camarade. Je vous présente Patrice. Il vient d'aménager dans le nouveau quartier et j'espère que vous allez lui souhaiter la bienvenue.

Tous les élèves regardèrent le nouveau sans dire un mot. C'est que Patrice était gros, gros comme moi !

Tous les pupitres étaient tassés comme sardines en boîte et je me demandais bien comment madame Fortier allait réussir à faire entrer un pupitre supplémentaire dans la classe. C'est à peine si on pouvait circuler dans les allées.

— Pierrot, dit-elle au même moment, Patrice s'installera à ton pupitre temporairement.

— Mais madame Fortier... commençai-je, mécontent.

— Ne discute pas. Il s'assoit avec toi.

Elle apporta une chaise et la plaça tant bien que mal près de mon pupitre.

— Je verrai plus tard à te trouver une place définitive, dit-elle au nouveau.

Après avoir sorti ses cahiers et ses crayons, Patrice se tourna vers moi et me sourit.

— Comment t'appelles-tu ? me demanda-t-il à voix basse.

Faible, affamé, j'étais de très mauvaise humeur et n'avais aucune envie de lui répondre. Je me tournai vers le tableau et fis comme s'il n'existait pas.

À la sortie de l'école, j'aperçus Patrice qui s'en allait à vélo. Je remarquai qu'il avait le même que moi, puis tristement, je pensai que mon retour à la maison n'allait pas être simple. J'aurais à affronter mes parents, expliquer mon comportement, m'excuser. Ils allaient certainement me punir. J'avais envie de ne jamais retourner chez moi.

Je fermai les yeux quelques secondes en pensant que tout serait plus simple si je disparaissais. *Faites que je disparaisse*, récitai-je comme dans une incantation, *faites que je change de vie*.

Mes parents n'étaient pas encore rentrés et j'en profitai pour faire une petite razzia dans le réfrigérateur. *À quoi bon vouloir maigrir ?* pensai-je. *De toute façon, jamais je ne me ferai d'amis*.

J'engloutis avidement un poulet froid en entier et un litre de lait. Je montai à ma chambre et me laissai tomber sur mon lit. *Quelle horrible chambre !* pensai-je avec rancœur en regardant autour de moi.

À l'époque de ma naissance elle avait sûrement dû être très jolie, mais aujourd'hui, elle paraissait terne et démodée. Il y avait aux murs un papier peint où de joyeux animaux souriants s'amusaient à lancer des ballons. Avec le temps, de petits bouts s'en étaient détachés et le lion était resté sans tête, le lapin sans oreilles et un des arbres sans tronc. Le rideau rose et bleu de la fenêtre remontait à l'époque où ma mère était enceinte de moi. Comme elle ignorait si son enfant à venir allait être une fille ou un garçon, elle avait opté, sans risque de se tromper, pour un mélange de rose bonbon et de bleu poudre. L'édredon sur le lit était assorti à ce triste rideau maintenant délavé.

Si mes parents pouvaient accepter pour une fois que je la décore à mon goût. Il faut toujours que ce soit eux qui décident tout.

Je fermai les yeux pour ne pas pleurer et, lentement, le sommeil s'empara de moi.

Chapitre 4

Une petite fugue

Lorsque j'ouvris les yeux, mes parents étaient là, se tenant près de mon lit. Je refermai les yeux dans l'espoir qu'ils s'en aillent. *Ah ! Si je pouvais être un magicien ou un sorcier et disparaître*, pensai-je avec conviction. *Si je pouvais changer de vie !*

J'ouvris les yeux à nouveau ; mes parents étaient toujours là.

— Pierrot, dit mon père, je crois qu'on devrait parler de tout ça. Ta mère et moi, on ne t'en veut pas. Nous avons tous des moments difficiles. Nous aimerions que tu nous parles de ce qui ne va pas.

— Excusez-moi, commençai-je. Je ne sais pas ce qui m'a pris.

Mes parents attendaient en silence que je continue.

— Je déteste l'école ; je trouve ça ennuyeux et inutile. Ma classe est l'endroit le plus déprimant que je connaisse. Il n'y a aucune fenêtre et on a l'impression d'étouffer. Qu'est-ce que ça donne d'aller à l'école ?

Je sentis ma gorge se serrer, revoyant en pensée les trois petites filles aux cheveux dorés chantant à tue-tête leur méchante comptine.

— Les élèves rient de moi, ils m'appellent le gros. Il y en a même qui m'ont...

Je ne trouvai pas le courage d'avouer à mes parents que Steve m'avait frappé. L'humiliation était trop grande.

Je me sentais pris au piège et une forte vague de rage et de honte monta à nouveau en moi inexorablement.

— Je n'en peux plus ! criai-je, je n'en peux plus.

D'un bond, je me levai et sortis en courant, cherchant à fuir cette rage, à fuir mes parents, à me fuir moi-même.

— Attends, Pierrot, reviens.

À nouveau sur mon vélo, je pédalai à perdre haleine, ne pensant à rien.

La nuit commençait à tomber, les réverbères des rues s'allumèrent un à un et je pédalais toujours. Je ne pleurais pas. Je savais qu'il me fallait retourner à la maison, qu'il fallait faire mes devoirs, qu'il y avait école le lendemain. Mais je continuais à pédaler, même si je ne savais plus très bien où je me trouvais. Au bout d'un moment, devant une grande maison illuminée, j'aperçus Patrice, le nouvel élève de ma classe.

— Salut ! me lança Patrice.

Je m'arrêtai brusquement.

— Qu'est-ce que tu fais ici ? lui demandai-je.

Patrice éclata de rire.

— C'est toi qui demandes ça ? Et toi alors, que fais-tu dans le nouveau quartier ?

Je crois que pour la première fois depuis des jours je souris. Je pensai que je n'avais pas été très gentil avec le nouveau.

— Je m'appelle Pierrot, lui dis-je en réponse à la question qu'il m'avait posée plusieurs heures auparavant. Excuse-moi pour tout à l'heure, je n'étais pas... j'étais de mauvaise humeur, ajoutai-je en lui tendant la main.

Lentement, il mit sa main dans la mienne. À ce contact, je tressaillis. Sa main était tellement légère que je ressentis une impression de vide. Mais Patrice me souriait et semblait heureux de me voir.

— Entre. Je vais te faire visiter ma nouvelle maison, dit-il.

— Tes parents ne penseront pas qu'il est trop tard ?

— Mais non. De toute façon, ils sont sortis.

Je fus ébloui par la maison du nouveau.

— C'est immense ! m'exclamai-je. Et vous êtes combien à vivre ici ?

— Il n'y a que moi, répondit Patrice. Et mes parents, bien sûr, ajouta-t-il après un moment. Viens voir ma chambre.

Patrice m'entraîna à l'étage. Même dans mes rêves les plus fous, jamais je n'aurais osé imaginer un endroit aussi fabuleux. Sa chambre occupait tout l'étage. Dans un coin se trouvaient un petit gymnase avec ballon de boxe, trampoline géant ainsi que de nombreux appareils aussi sophistiqués les uns que les autres servant à soulever des poids et haltères. À l'autre bout de l'étage, on apercevait un gigantesque écran de télévision avec un ensemble impressionnant de vidéocassettes de tous les films que j'avais envie de voir. C'était une chambre de rêve ! En fait, je dirais plutôt que c'était le genre de chambre que j'aurais rêvé d'avoir.

— On peut s'installer sur le divan et regarder pendant des heures la télévision, dit Patrice. Et j'ai un petit frigo, juste ici, dans lequel on trouve tout ce qu'on a envie de boire et de grignoter en regardant des films. Tu peux te servir.

— C'est super ! m'exclamai-je en prenant une limonade. J'avais peine à croire qu'un garçon de mon âge, qu'un garçon de ma classe ait tant de chance.

Derrière un paravent, on avait placé son lit ; il était en forme d'auto de course. En le voyant, je me rappelai, l'espace d'un instant, d'avoir rêvé de ce lit lorsque j'étais tout jeune. Je l'avais aperçu par hasard un jour que mes parents m'avait conduit au centre commercial. Je les avais suppliés de m'acheter ce lit en forme de voiture de course.

— C'est beaucoup trop cher, avait répondu mon père. Et puis tu grandis et vieillis si vite que l'an prochain tu en seras lassé.

Le temps l'avait effacé de ma mémoire ; mais on le voyant là, devant moi, ce souvenir lointain refit surface faisant naître en moi un petit pincement de rancune et de jalousie.

Près du lit, on voyait de grandes tables sur lesquelles on avait installé un ordinateur, un lecteur de cassettes et de disques compacts ultra sophistiqué, un nintendo 64, un *playstation*, une petite table de ping-pong . Je n'avais pas assez d'yeux pour tout voir et je ne cessais de m'exclamer.

— C'est incroyable, dis-je. Tes parents, ils sont millionnaires ou quoi ?

— Tu veux dormir ici ce soir ? me demanda Patrice.

— Quoi ? Tu es sérieux ? Je pourrais dormir ici ?

— Mais oui, sans problème, répondit Patrice. Tu pourrais même venir vivre ici avec moi.

— Tu te moques de moi ?

— Non, je t'assure, dit Patrice le plus sérieusement du monde.

Du coup, j'éclatai de rire.

— D'accord. Je vais dormir ici ce soir.

— Tu n'appelles pas tes parents ? demanda Patrice.

— Oui, oui.

Mais je n'avais aucune envie de téléphoner, mes parents, c'est certain, allaient refuser que je dorme un soir de semaine chez un copain. Surtout après ce que j'avais fait, je m'étais enfui à deux reprises, j'avais crié, j'avais lancé et brisé une assiette. *C'est sûr qu'ils n'accepteront pas que je dorme ici*, pensai-je.

Patrice me tendit un petit téléphone portable.

— Ça alors ! Un portable ! m'exclamai-je une fois de plus.

— Tu veux que je fasse le numéro pour toi ?

Patrice composa le numéro et me tendit l'appareil. J'entendais la voix de mon père.

— Allô ! Allô ! Qui est-ce ?

— Dis quelque chose, me chuchota Patrice.

— C'est Pierrot, dis-je sèchement. Je dors chez un copain cette nuit.

Et j'appuyai sur le bouton *End*.

— Tu n'es pas « jaseux », dit Patrice en riant. Viens, on va manger une pizza et du gâteau au chocolat. Je ne t'ai pas encore montré notre piscine intérieure. Après avoir cassé la croûte, on ira nager.

À cette agréable perspective, je mis vite de côté mes pensées sombres et m'empressai de suivre Patrice à la cuisine.

Comme deux amis de longue date, nous passâmes la nuit à parler, à manger, à nager, à jouer au nintendo. Je me sentais vraiment à l'aise avec lui et, au bout d'un moment, j'abordai un sujet qui me tenait à cœur, un sujet vraiment délicat.

— Dis, Patrice, lui demandai-je, ça ne te dérange pas quand les gens te traitent de gros ? Moi, je déteste ça.

— Non, pas vraiment. Je ne me vois pas comme un gros. Je suis costaud, tout comme toi. Ces gens, comme tu dis, qui nous traitent de gros, c'est qu'ils ont peur de nous, ils savent que nous sommes forts et costauds.

Sa façon de décrire les choses me plaisait beaucoup. Je me voyais, en imagination, tel un héros de b.d. fort et costaud, me tenant droit, les mains sur les hanches, faisant trembler de peur Steve Morissette, André Brisebois et Claude Grenade !

Oui. Je crois qu'il a raison, songeai-je avec plaisir.

Quelques heures avant le lever du soleil, nous nous effondrâmes, épuisés. Lorsque le réveille-matin se fit entendre, j'ouvris les yeux avec difficulté et, malgré ma grande fatigue, me sentis heureux d'avoir trouvé quelqu'un avec qui tout partager, quelqu'un qui avait les mêmes goûts que moi, quelqu'un qui me trouvait costaud. Je me sentais heureux d'avoir trouvé un ami.

— Réveille-toi, Patrice. On doit se rendre à l'école.

—Laisse-moi tranquille, marmonna-t-il, j'ai sommeil.

Les parents de Patrice n'étaient toujours pas rentrés.

À nouveau je tentai sans succès de réveiller Patrice. Avant de quitter la merveilleuse demeure de mon ami, je dus me rendre à la salle de bains. Je voulais m'assurer que j'étais présentable malgré ma grande fatigue. C'était une vaste pièce somptueuse. Aux murs étaient accrochées de grandes tapisseries d'époque représentant des scènes de combats d'animaux à tête humaine. Je n'avais jamais rien vu de pareil. *Cette salle de bains est plus belle que n'importe quelle pièce de notre maison*, pensai-je.

Je cherchai en vain pendant plusieurs minutes un miroir. *C'est incroyable ! Il n'y a aucun miroir !* remarquai-je avec étonnement. *Tout ce luxe et pas un seul miroir.* Regardant l'heure, j'oubliai ce détail et m'empressai de sortir.

J'espère que mes parents sont déjà partis, pensai-je en pédalant jusque chez moi. Mais devant la maison, je vis la petite voiture de ma mère.

J'entrai silencieusement et montai à ma chambre récupérer mon sac d'écolier.

— C'est toi, Pierrot ? fit ma mère.

— Oui, je pars à l'école.

Ma mère était devant moi ; sa figure était triste et fatiguée. De grands cernes bleuâtres soulignaient ses yeux.

— J'étais si inquiète, dit-elle en s'approchant de moi.

Je reculai vivement vers la porte.

— J'étais chez un ami, dis-je joyeusement. J'ai trouvé un ami. Bonne journée, maman !

Je partis en laissant ma mère à la fois désemparée, mais aussi rassurée de me voir de si bonne humeur.

Tout en pédalant vers l'école, je songeai que mon vœu s'était peut-être réalisé, ma vie allait changer.

— Tu viens te baigner ? demanda Patrice.

— Tu crois qu'on peut ? Et tes parents ?

— Ils sont d'accord voyons. Puis, ils sont absents.

Ça faisait plus d'une heure que nous nous baignions lorsque Patrice décréta qu'il était temps de casser la croûte. Au menu : pizza et gâteau au chocolat, mes préférés. Ensuite, nous avons écouté des cassettes, joué au ping-pong et au nintendo. Il était vraiment tard et je savais qu'il me fallait rentrer.

Comme je m'apprêtais à partir, je remarquai à nouveau que les parents de Patrice n'étaient toujours pas là.

— À quelle heure ils reviennent tes parents ? demandai-je à mon ami.

— Oh ! Ils sont en voyage.

— Ils t'ont laissé seul ?

— Oui, pourquoi ?

— Je trouve ça super ! Tu as vraiment beaucoup de chance. Mes parents ne me laissent jamais seul plus d'une soirée. Oh oui ! J'allais oublier. Ils veulent te connaître et t'invitent à la maison cette fin de semaine. Tu crois pouvoir venir ?

Patrice me jeta un drôle de regard et, sans répondre, se détourna.

Terriblement fatigué, je pédalais péniblement et avançais très lentement. Une fois à la maison, je montai silencieusement à ma chambre, m'étendis sur mon lit, épuisé, mais heureux.

Chaque soir, pendant plusieurs semaines, je partis ainsi en catimini passer quelques heures avec mon nouvel ami. Pendant tout ce temps, je n'eus jamais l'occasion de rencontrer les parents de Patrice. Je trouvais étrange qu'ils le laissent seul si longtemps, mais je m'amusais tellement que je ne voulais pas gâcher mon plaisir avec des idées aussi terre à terre.

On ne s'ennuyait jamais, Patrice et moi étions comme les deux doigts de la main. Si l'un d'entre nous suggérait de regarder un film ou de jouer à un jeu, l'autre répondait invariablement : j'allais te le proposer.

Physiquement aussi nous nous ressemblions beaucoup. Ronds, habillés et coiffés de la même façon, on aurait dit des jumeaux ! Nous en étions venus à une complicité si grande qu'on avait à peine besoin de parler pour se comprendre.

Un soir que nous flottions sur des chambres à air dans la piscine géante, j'aperçus mon reflet dans l'eau. Les petites vagues que nous faisions m'empêchaient de voir clairement mon image, mais je pensais avec bonheur que je me sentais vraiment bien depuis que je ne me voyais plus comme un gros. Je n'étais plus en colère contre mes parents, contre l'école, contre tout. J'avais de plus en plus la certitude que mon vœu avait été exaucé, ma vie avait changé, grâce à mon ami !

Je cherchai du regard le reflet de Patrice dans la piscine, car j'aimais bien me comparer à lui. Étrangement, je n'arrivais pas à voir autre chose que sa chambre à air. Je ne voyais pas son image dans l'eau.

— Patrice, regarde dans l'eau. Me vois-tu ?

— Oui, oui, je te vois, dit-il.

— Je n'arrive pas à te voir ! Je ne vois que la chambre à air.

— Ne cherche plus. Je suis invisible. Je suis l'homme invisible. Ah ! Ah ! Ah ! pouffa Patrice.

Après avoir ri un bon coup, je me dis que j'avais beaucoup de chance d'avoir un ami pareil. Nous sommes tellement semblables et nous avons tellement de plaisir. Jamais de disputes, d'insultes. Nous sommes toujours d'accord sur tout. Nous avons la maison à nous, la piscine et toute cette extraordinaire liberté que ses parents lui laissent.

— Tu te sens heureux depuis que tu me connais, dit Patrice.

Je regardai Patrice avec surprise, mon ami avait deviné exactement ce à quoi je pensais.

— Oui, je suis heureux. Il ne me manque qu'une chose.

— Quoi donc ? demanda Patrice, étonné.

— J'aimerais changer de nom.

Patrice éclata de rire.

— Ne ris pas. Je suis sérieux. Pierrot, c'est pour les bébés. *Au clair de la lune, mon ami Pierrot...*, tu dois connaître ça ?

— Comment aimerais-tu t'appeler ?

— Patrice, comme toi.

À ces mots, le fou rire nous gagna et pendant de longues minutes nous rîmes de bon cœur.

— Ce serait drôle de voir la réaction de ma mère si je faisais changer mon nom et m'appelais Patrice !

Quand j'y repense aujourd'hui, je me dis que j'aurais dû trouver étrange, moi de qui tous les enfants se moquaient, moi qui n'avais jamais eu de véritable ami, d'avoir trouvé cette amitié parfaite, exceptionnelle. Ce n'est que plus tard, beaucoup plus tard, que je fus confronté à une autre réalité.

Chapitre 6

Le 666, rue Natas

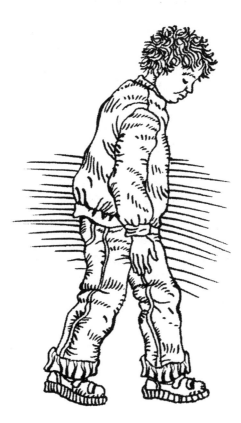

Je ressentais toujours un mélange d'inquiétude et d'excitation lorsque, tard le soir, je quittais la maison en cachette. Mes parents allaient-ils se réveiller ? Allaient-ils découvrir que je n'étais plus dans mon lit ?

Tous les soirs, je m'avançais silencieusement près de la porte de leur chambre et je guettais le moment où ils s'endormaient. Lorsque j'entendais leur respiration devenir régulière et un peu plus bruyante, je partais. Soir après soir, je me rendais chez Patrice.

Malheureusement, je ressentis vite la fatigue que causaient ces heures soustraites à mon sommeil. En classe, j'avais peine à garder les yeux ouverts et madame Fortier ne cessait de me réprimander ; j'étais là physiquement, mais mon esprit était ailleurs et mes notes dégringolaient à vue d'œil.

— À ce soir, me lança Patrice en sortant de l'école.

Je ne savais comment dire à Patrice que ce soir-là, je ne viendrais pas. Comme je ne répondais pas, il dit :

— Tu ne peux pas venir ?

— Ce n'est pas que je n'en ai pas envie, mais...

— Quoi alors ? Viens, j'ai des nouvelles cassettes ; on va les essayer.

— Tes parents sont revenus ?

— Non. Pourquoi ?

— Ah bon. Je croyais que c'étaient eux qui t'avaient offert des cassettes.

— Alors tu viens ? fit brusquement Patrice dans un mouvement d'humeur.

— Je suis épuisé, lui avouai-je. Mes nuits sont tellement courtes que j'ai envie de dormir toute la journée. Toi, tu n'es pas fatigué ?

Il fixa sur moi un œil noir.

— Tu sais bien que je n'ai pas besoin de sommeil, dit-il à voix basse.

Je le regardai un moment sans comprendre.

— Écoute, Patrice. Si mes parents viennent à découvrir que je quitte la maison tard le soir, je ne suis pas mieux que mort.

— Bon. Comme tu voudras. Mais demain, je compte sur toi. J'ai une petite surprise qui va certainement te plaire beaucoup.

— Des cassettes ? demandai-je avec curiosité.

— Non. Quelque chose de beaucoup plus amusant. Tu verras.

Le lendemain soir, je m'apprêtais à sortir de la maison lorsque j'arrivai face à face avec mon père.

— Où vas-tu ? me demanda-t-il.

Pris au dépourvu, je balbutiai une réponse vague.

— J'allais au blapabeu, dis-je en mettant ma main devant ma bouche.

— Quoi ? Où ça ?

Ce court moment me permit de réfléchir rapidement et de trouver une réponse.

— J'allais aux toilettes, dis-je en mentant. Mais toi, papa, tu ne dors pas ?

— Je ne me sens pas très bien. Va te coucher. Il est assez tard.

Je n'eus d'autre choix que de retourner à ma chambre. Je ne pouvais me rendre chez Patrice ; c'était trop risqué.

Je décidai d'avertir mon ami en lui téléphonant, mais j'ignorais son numéro. Je me rendis compte que je n'avais jamais eu à lui téléphoner avant ce jour. Nous nous voyions toujours chez lui, tard le soir, ou à l'école. Malgré mes nombreuses invitations, jamais encore, il n'était venu ici et la seule fois où j'étais allé chez lui dans la journée, il n'y était pas.

Je composai le 411.

— Téléphoniste.

— J'aimerais avoir le numéro d'un nouveau résident. Il habite au 666, rue Natas.

Après une courte période d'attente, la téléphoniste m'annonça que cette adresse n'existait pas.

— C'est un nouveau résident, insistai-je, voyant qu'elle se trompait. Il n'y a que quelques mois qu'il habite là. J'y suis allé de nombreuses fois. C'est le 666, rue Natas. S-A-T-A-N, épelai-je. *Non, non, excusez-moi, je fais erreur. C'est N-A-T-A-S.*

La téléphoniste me fit attendre encore un peu.

— Désolé, monsieur. Je n'ai rien d'inscrit dans mon fichier.

Abasourdi, je reposai le combiné.

Elle fait certainement erreur, cette téléphoniste, me dis-je. *Je dois penser à demander à Patrice son numéro.*

Chapitre 7

Une poignée de main
inusitée

Le lendemain, comme chaque matin, je courus rejoindre mon ami dans la cour de l'école. Je m'arrêtai brusquement lorsque je l'aperçus en compagnie de Steve Morissette. Ils échangeaient une poignée de main.

Stupéfait, je me demandais bien pourquoi mon ami était avec Steve. Je n'osais m'approcher et ce n'est qu'à l'heure du dîner que je réussis à parler à Patrice.

— Je t'ai vu avec Steve ce matin, commençai-je. Si tu veux mon avis, il vaut mieux se tenir loin de ce type. Qu'est-ce qu'il te voulait ?

Patrice se détourna, refusant de répondre.

— Tu crois que je peux aller chez toi, ce soir ? demandai-je en le voyant s'éloigner.

Il ne répondait toujours pas.

— Patrice, dis-je en haussant le ton, qu'est-ce qu'il y a ? Tu es fâché ?

Patrice s'arrêta, se retourna brusquement et s'approcha de moi. Son visage était à quelques centimètres du mien, mais je n'osais reculer tant le regard de mon ami était féroce. *Qu'est-ce qui lui prend ?* me demandai-je.

— Ça fait deux soirs que je t'attends, dit-il d'une voix mauvaise.

— J'étais fatigué, tentai-je d'expliquer. Hier, mon père s'est relevé. Il...

Patrice m'interrompit.

— Tu ferais mieux d'être là ce soir.

— Oui, oui. J'y serai, dis-je docilement afin d'amadouer mon ami. Mais je ne comprends pas pourquoi...

Je ne pus terminer ma phrase, car Patrice s'était déjà éloigné, me laissant pantois.

Étrange, songeai-je. *C'est la première fois que je le vois ainsi.*

Chapitre 8

Mon ami est au paradis
artificiel.

Le soir venu, j'attendis avec impatience que mes parents s'endorment. Il était déjà tard, mais ma mère s'activait toujours au rez-de-chaussée.

Va-t-elle finir par aller dormir ! pensai-je nerveusement.

J'étais inquiet, l'attitude de Patrice m'avait vraiment déconcerté. C'était la première fois que je sentais une brisure dans notre complicité.

Je suis certain que ce n'est que temporaire. Il est déçu parce que je suis resté deux jours sans le voir. Tout à l'heure, j'en suis sûr, tout sera comme avant.

Je réussis finalement à quitter la maison et me dépêchai de me rendre chez Patrice. Mon ami, contrairement à son habitude, n'était pas là à m'attendre.

Je m'avançai vers la porte, mais n'osai sonner.

Ses parents sont peut-être de retour, pensai-je en faisant le tour de la maison plongée dans le noir. Je me dirigeai avec précaution vers la porte arrière, mais m'arrêtai en entendant la voix de Patrice.

— Viens me porter ça chez moi.

Et puis un silence.

— Ça ne fait rien. Il n'y a personne ici.

Et puis un autre silence.

Il doit être au téléphone, pensai-je. Je m'apprêtais à ouvrir la porte lorsque Patrice surgit devant moi.

— Ah ! Te voilà ! Pas trop tôt ! dit Patrice d'une voix que je ne reconnaissais pas.

— Tu parlais au téléphone ?

— Ça te dérange ?

Surpris du ton de mon ami, habituellement si affable, je changeai de sujet.

— Non, non. On se baigne ? demandai-je, espérant rendre sa bonne humeur à Patrice.

— Pas ce soir. J'ai un autre projet. Cent fois plus amusant. Entre.

Je suivis Patrice qui se dirigeait vers l'escalier du sous-sol. Je n'étais encore jamais venu dans cette partie de la maison.

— J'ai cru un instant que tes parents étaient revenus, dis-je.

— Ah oui ! Pourquoi ?

— Tu n'étais pas dehors et toute la maison est plongée dans l'obscurité.

— Ne t'en fais pas. Je me suis débarrassé d'eux. Pour toujours.

Je m'arrêtai, le souffle coupé.

— Quoi ? Qu'est-ce que tu dis ? demandai-je avec anxiété.

Patrice émit un ricanement sinistre qui me donna la chair de poule.

— Rien, idiot. Tu ne te vois pas l'air ? C'est à mourir de rire.

Je ne trouvais pas ça drôle et je commençais à me sentir inquiet. *Pourquoi a-t-il dit ça à propos de ses parents ?* L'attitude bizarre et froide de Patrice me mettait mal à l'aise.

Une fois au sous-sol, j'essayai de repérer l'interrupteur, car on y voyait à peine.

— N'allume pas, ordonna Patrice. Viens. Suis-moi.

Nous descendîmes un second escalier et je devais tâtonner à chaque marche afin de ne pas débouler. Une forte humidité emplissait l'air d'une étrange odeur de moisissure qui me prenait à la gorge. *Comment se fait-il qu'il y ait une deuxième sous-sol,* pensai-je, inquiet. *Je ne savais pas qu'on pouvait avoir deux sous-sols.*

Patrice ouvrit une porte et me poussa dans une pièce obscure. Il gratta une allumette afin d'allumer une bougie. Au même moment, on entendit dans un clic la porte se refermer.

La bougie éclairait faiblement et, regardant autour de moi, je fus saisi de vertige, je ne pouvais croire à ce que je voyais. Tout autour de nous se trouvaient de grands murs sombres sur lesquels on avait peint des scènes sanglantes de combats d'animaux à tête humaine. Les mêmes que j'avais déjà vues sur les tapisseries de la salle de bains, à la différence qu'on avait dessiné sur toutes ces têtes d'hommes des cornes à l'aspect diabolique. Partout où mon regard se portait, je ne voyais que ces terribles bêtes à tête d'homme en train de lutter férocement. Il y avait beaucoup de sang, et des bêtes avaient leur tête d'homme arrachée, gisant sur le sol.

Incapable de faire un pas, je restais là, sans bouger. Je sentais sous mes pieds le sol en terre battue. Ce décor macabre ne ressemblait en rien à la somptueuse de-

meure et, pour dire la vérité, j'étais mort de peur.

— Qu'est qu'on fait ici ? demandai-je nerveusement.

— Regarde, fit Patrice en me tendant la main.

— Qu'est-ce que c'est ?

Patrice gratta une autre allumette et je vis mon ami allumer une cigarette.

— Tu fumes ? demandai-je étonné, moi-même n'ayant jamais pensé à fumer étant très bien informé des méfaits du tabac.

Une odeur inhabituelle, sucrée et âcre à la fois, flottait dans l'air.

— Du pot ? demandai-je encore une fois. Mais je connaissais déjà la réponse.

Patrice tira une grande bouffée et me tendit la cigarette.

— Non, refusai-je, tentant de mettre un peu de fermeté dans ma voix. J'aime mieux qu'on remonte. J'ai envie de me baigner.

— Tu veux te baigner ? Tu n'as pas peur de te noyer ? Un accident est si vite arrivé ! fit Patrice avec un grand rire sournois. On ne sait jamais. Tu pourrais disparaître toi aussi.

L'effet de la drogue se faisait déjà sentir et je voyais bien que mon ami n'était plus le même.

— Viens, le suppliai-je, on remonte.

— Pas question, répondit brutalement Patrice. Tu dois fumer avant.

Je ne savais que faire. Je n'avais aucune envie de toucher à la drogue, mais en même temps, je voyais bien que Patrice y tenait. Et puis, j'avais peur de lui ; il n'était pas dans son état normal.

— Une autre fois, peut-être, dis-je.

Je m'étais rapproché du mur et cherchais à l'aveuglette la porte menant au premier sous-sol.

— Hi, hi, hi, ricana Patrice. Tu cherches la porte, hein ?

— Patrice ! Arrête ça. Viens, on remonte. Ouvre la porte.

— Pas avant que tu aies fumé.

Me sentant coincé, une vague de pa-nique déferla en moi.

— Tu promets d'ouvrir la porte si je fume ? lui demandai-je sans réfléchir.

— Hi, hi, hi, ricana à nouveau Patrice sous l'effet de la drogue.

— Promets.

— D'accord, d'accord, balbutia-t-il, je promets.

Patrice me tendit la cigarette et j'aspirai un peu de fumée.

— Bravo ! fit Patrice d'une voix molle. Bienvenue au paradis artificiel.

Patrice ouvrit la porte et je sortis hâtive-ment. Je montai les marches quatre à quatre et me précipitai vers l'extérieur, bien décidé à fuir ce faux copain qui me forçait à faire des choses que je n'avais aucune envie de faire.

J'entendais toujours Patrice ricaner derrière moi et sans me retourner, je grim-pai sur mon vélo et me mis à pédaler.

Soudain, dans l'air lourd de la nuit, un bruissement attira mon attention. Je m'arrêtai un moment et vis clairement, à la lueur d'un réverbère, Steve Morissette se diriger vers Patrice qui l'attendait devant la fabuleuse maison. Il lui tendit un paquet et je devinai de quoi il s'agissait.

C'était ça, ce matin, la poignée de main. Une vente de drogue.

Plus tard, étendu sur mon lit, je songeais tristement à cette soirée. C'est avec Steve qu'il parlait au téléphone quand je suis arrivé. Je l'ai entendu dire « Viens porter ça chez moi. » C'était sûrement la drogue. Pourquoi fait-il ça ?

Je me tourmentai une bonne partie de la nuit, luttant entre mon désir de conserver la précieuse amitié de Patrice et mon dégoût pour la drogue.

Je n'aurais jamais pensé qu'il puisse s'acoquiner avec ce Steve Morissette. Qu'est-ce qui lui prend ? Je ne retournerai plus chez lui. C'est fini.

Après plusieurs heures d'insomnie et de récriminations à l'endroit de Patrice, je finis par me calmer lorsque je compris soudainement avec une grande clarté que je ne pouvais abandonner Patrice, que je devais l'aider.

C'est mon ami. Nous sommes presque des frères jumeaux. Je dois le faire renoncer à la drogue ; Steve n'est pas un garçon à qui on peut faire confiance. Demain, je lui parlerai. Demain, je le convaincrai.

À l'aube, je vis les premiers rayons du soleil filtrer à travers le rideau rose et bleu de ma chambre. Je sombrai enfin dans un sommeil agité, rempli de terribles cauchemars où je voyais Patrice devenir mince comme un fil, la drogue le faisant fondre inexorablement.

Chapitre 9

Délire de réconciliation

— Tu ne déjeunes pas ? me demanda ma mère. Tu as l'air fatigué ce matin Pierrot. Tu te sens bien ?

— Mais oui. Je n'ai pas faim. Je mangerai plus tard.

— Bonne journée. À ce soir, fit ma mère en m'embrassant.

Le cœur lourd, je partis pour l'école. Je devais trouver les mots, les phrases qui allaient persuader Patrice de renoncer à la drogue. Mais je me sentais démuni et ne parvenais pas à mettre mes idées au clair.

À l'école, je vis au loin Patrice qui semblait m'attendre. Lorsque nos regards se croisèrent, Patrice s'approcha à vive allure.

— Pierrot ! Pierrot ! Écoute. Hier, je ne sais pas ce qui m'a pris, je regrette ce qui est arrivé. Je crois que j'ai été poussé par la curiosité. Je voulais faire un essai, sans plus. Mais je sais que je t'ai blessé et je veux m'excuser.

J'étais si heureux que je lui aurais sauté dans les bras. Je n'avais pas eu à parler. Mon ami avait dit tous les mots que je voulais entendre et je me sentais soulagé.

— J'ai faim. Je n'ai pas déjeuné, dis-je en guise de réconciliation.

Patrice rit ; s'il y avait une chose qui caractérisait notre amitié, c'était bien notre goût commun pour la nourriture.

— Tiens, dit Patrice. J'ai apporté des petits gâteaux aux carottes pour mon lunch. Prends-en. Prends-les tous.

Le soir même, nous étions dans la piscine flottant mollement sur nos chambres à air.

— On est si bien, dis-je. Je trouve que tu as bien de la chance d'avoir cette grande maison rien que pour toi. J'envie ta liberté.

— Oui, tu as raison. C'est super, la liberté.

— J'ai voulu te téléphoner avant-hier pour t'avertir que je ne viendrais pas, mais...

— Oublie ça. C'est pas grave.

— Comme je n'avais pas ton numéro de téléphone, j'ai fait le 411. La téléphoniste m'a dit qu'elle n'avait pas ton numéro dans le fichier.

— C'est un numéro confidentiel, dit Patrice avec un sourire en coin. Viens, on sort. J'ai préparé une limonade et je veux que tu y goûtes. Je t'assure que tu n'as jamais bu une boisson aussi délectable ; une boisson d'enfer !

Après s'être séché, Patrice versa la limonade dans un grand verre.

— Tu n'en prends pas ? lui demandai-je.

— Non, je n'ai pas soif. Mais je tiens à ce que tu boives ton verre en entier. Je t'assure que tu vas te croire au paradis... ou en enfer, ajouta-t-il en riant.

Sans me méfier, je bus avidement la limonade.

— Drôle de goût ! Pas mauvais.

Subitement, une douleur me noua l'estomac.

— Je me sens bizarre. J'ai mal au cœur, Patrice.

Levant les yeux vers mon ami, je compris dans un éclair ce qui venait d'arriver.

Ma vue s'embrouilla et, battant l'air de mes deux mains, cherchant appui, je glissai lentement sur le sol. Patrice me regardait sans bouger. Il prit le téléphone en souriant.

— Steve ! Ça a marché ! Il est par terre. Tu peux venir maintenant. Nous allons nous amuser.

Chapitre 10

Voyage en enfer

Lorsque je repris conscience, une sensation angoissante me fit tressaillir. J'avais les yeux ouverts, mais je distinguais à peine ce qui m'entourait. Une horrible puanteur me soulevait le cœur. Une forte odeur d'humidité mêlée à une odeur indescriptible m'empêchait de respirer.

Une bougie répandait une faible lueur et lentement, je devinai où je me trouvais. *Cette odeur écœurante d'humidité, c'est le deuxième sous-sol.*

C'est alors que j'eus une indicible vision d'horreur, les peintures d'animaux à tête d'homme dessinées à même les murs s'étaient matérialisées ! J'étais entouré d'animaux à tête d'homme vivants. Tous fixaient sur moi un regard démoniaque.

Des cornes, pensai-je, *ils ont des cornes. Ce sont des diables.*

Des animaux morts, répugnants, étaient étendus sur le sol de terre battue, la tête coupée.

Cette odeur, cette puanteur, c'est celle de la mort, pensai-je avec angoisse.

Les animaux à tête d'homme avançaient imperceptiblement formant un cercle parfait autour de moi.

Patrice. Je t'en supplie. Ne me laisse pas ici, dis-je en gémissant.

Un démon, plus grand et plus imposant, sortit du cercle. Une voix rauque, à peine humaine, se fit entendre.

— Pourquoi gémis-tu ainsi ? Tu ne dois pas avoir peur de tes semblables.

Mes semblables ? Mes semblables ? répétai-je sans comprendre.

— Vous êtes des diables, des démons. Je ne suis pas un de vos semblables.

— Ah non ? demanda celui qui semblait être le chef des diables. « Dans cette maison, il n'y a pas de miroir parce que la mort n'a pas de reflet. Mais pour toi, l'incrédule, j'en ferai apparaître un. Regarde-toi bien dans ce miroir et répète-moi que tu n'es pas des nôtres. »

Je me tournai vers le miroir qu'il avait fait surgir de nulle part. Je vis mon visage, figé par l'épouvante. Baissant les yeux, j'aperçus mon corps, une masse velue sur quatre pattes et avec une queue !

Un corps d'animal ! voulus-je crier. Mais mon cri s'étouffa dans ma gorge, je n'arrivais plus à respirer.

Les animaux s'étaient lentement rapprochés et je sentais sur moi leur souffle nauséabond. Dans le miroir, je ne voyais que moi. Eux, les diables, restaient invisibles. « L'homme invisible » pensai-je troublé, me rappelant que je n'avais pu voir le reflet de Patrice dans la piscine. Dans sa fabuleuse maison, jamais je n'avais vu de miroir !

— Maintenant, tu as droit à la couronne, fit de sa voix rauque le chef des démons.

Dans une incroyable hallucination, je vis dans le miroir ma tête s'orner de deux cornes luisantes produisant mille reflets scintillants.

J'ouvris la bouche dans un grand cri de terreur, mais aucun son ne se fit entendre. L'air humide et étouffant m'empêchait de crier, m'empêchait de respirer.

— Nooooon ! hurlai-je désespérément en silence, sentant mon corps d'animal s'engouffrer inexorablement dans les profondeurs de la terre.

***

J'ignore combien de temps je restai dans le deuxième sous-sol. Lorsque j'ouvris les yeux, reprenant conscience, je ne distinguai rien. J'étais entouré par une nuit absolue. Seule une immense douleur à la tête m'empêcha de refermer les yeux. Tentant de me relever, je vacillai et retombai lourdement sur le sol. Mon corps meurtri ne voulait pas obéir et je sentais à peine mes jambes. Posant mes mains au sol, je sentis du bout des doigts la terre battue ; la terre battue du deuxième sous-sol !

— Les diables, hurlai-je, saisi de panique, la mémoire de mon incroyable expérience me revenait lentement. Je suis dans les ténèbres de l'enfer !

Je m'empressai de mettre les mains sur la tête, sur le corps. Ni cornes, ni corps velu, ni queue.

J'éclatai en sanglots. Telle une flamme vacillante, un souvenir flou refaisait surface. Je me revoyais flotter dans la piscine ; je buvais une limonade. La flamme vacillante devenait une torche éclairante. Patrice avait mis une drogue dans ma limonade et m'avait enfermé dans le deuxième sous-sol.

Un immense chagrin envahit mon cœur. *Pourquoi ?* pensai-je avec amertume.

Après avoir longuement pleuré, je me sentis un peu mieux et tentai de me relever. *Je dois sortir d'ici à tout prix. Je dois rentrer chez moi.*

Je longeai les murs que je ne voyais pas. Je savais que sur ces murs on avait peint des animaux à tête d'homme. La drogue que Patrice m'avait fait absorber avait créé cette vision d'enfer, cette illusion immonde où les dessins s'étaient animés, où j'avais cru devenir moi-même une de ces bêtes démoniaques.

À tâtons, sur mes jambes flageolantes, je cherchai désespérément la sortie.

Chapitre 1

Le retour
de l'enfant prodigue

Je ne sais comment je parvins à sortir du deuxième sous-sol, mais lorsque je repris mes esprits j'étais dehors, encore très confus. Je fis plusieurs fois le tour de la maison à la recherche de mon vélo. mais je dus me résoudre à accepter la triste réalité : il avait disparu. Je me mis à marcher. J'ignorais l'heure qu'il était, je devinais d'après la position du soleil dans le ciel que la journée était bien avancée.

Je marchai longuement sans vraiment m'en rendre compte. Ma tête était vide, mon corps épuisé. J'étais sale, répugnant. La terre humide du deuxième sous-sol collait partout à mes vêtements. Je ne voulais penser à rien.

Devant chez moi, un spectacle étrange m'attendait. Deux voitures de police stationnaient dans l'entrée, des voisins entraient et sortaient de la maison, discutaient entre eux quelques instants, tout ça dans une atmosphère de surexcitation totale.

Je ne voyais pas mes parents et soudain, mon esprit confus fit naître en moi une idée terrible, il était arrivé malheur à mes parents, ils étaient morts pendant que moi, j'étais perdu dans l'enfer de la drogue.

J'entrai avec appréhension. Ma mère, écroulée sur le sofa, pleurait à chaudes larmes. Mon père, agenouillé près d'elle, tentait de la consoler. À leur vue, je poussai un soupir de soulagement, ils étaient encore là, bien vivants.

— Ne pleure pas, disait mon père d'une voix tremblante. Il va rentrer. Il doit rentrer.

— Papa, dis-je à voix basse.

Mes parents levèrent simultanément la tête. Je vis dans les yeux de ma mère une immense détresse suivie d'un grand apaisement. Elle se leva précipitamment. Mon père resta sur le sol, agenouillé, fixant sur moi un regard noir.

— Mon Pierrot, fit ma mère en m'enlaçant, mon Pierrot. On était mort d'inquiétude. Elle m'embrassait en me tenant si fort que mon corps endolori me fit pousser un gémissement.

— Où étais-tu ? demanda mon père d'une voix grave.

Comme je n'osais répondre, je vis et compris en un instant toute sa colère.

— Ça fait seize heures qu'on te cherche, seize heures que ta mère pleure. On a téléphoné à la police, aux hôpitaux. Tous les voisins sont venus nous aider à te retrouver.

Les policiers entrèrent dans la maison et mon père se tut.

— C'est lui ? C'est votre fils ? demanda un policier à mon père qui hocha la tête.

— On a quelques questions à te poser, garçon, fit une jeune policière. Où étais-tu depuis hier soir ?

Mes parents devaient avoir découvert hier soir que j'avais quitté la maison. Pitoyable, je décidai de leur dire une partie de la vérité, il n'était pas question que je leur parle de la drogue que Patrice m'avait fait prendre.

— J'étais chez Patrice, dis-je faiblement.

— Tu aurais pu téléphoner, gronda mon père. Et comment se fait-il que tu sois si dégoûtant. On a l'impression que tu t'es roulé dans la boue.

— Ce Patrice, où habite-t-il ? me demanda la policière.

— Au 666, rue Natas.

Elle sortit, me laissant seul avec mes parents.

— Je voudrais prendre un bain, dis-je, et dormir.

— C'est ça, dit mon père d'un ton mordant. On a passé la nuit à t'attendre, on mourait d'inquiétude, et toi, tu veux prendre un bain ! Je crois que tu nous dois des explications et des excuses.

Je sentais un bourdonnement marteler ma tête et mon corps entier me faisait mal. Je n'arrivais plus à réfléchir et, encore une fois, j'aurais voulu disparaître. J'éclatai en sanglots.

— Laisse-le tranquille, dit ma mère de sa voix douce. On reparlera de tout ça plus tard. Ce qui compte, c'est qu'il soit revenu, qu'il soit là.

La policière entra à nouveau dans le salon et fit signe à mon père de la suivre. Elle parlait tout bas, mais je l'entendis dire à mon père « Cette adresse qu'il a donnée n'existe pas ». Elle jeta un regard vers moi et, me tournant le dos, attira mon père à l'extérieur.

Je fis couler dans la baignoire une eau très chaude, presque bouillante. Je frottai vivement mon corps afin de le débarrasser de toute cette boue, de toute cette saleté, de cette atroce odeur de mort. J'aurais voulu pouvoir me laver l'intérieur de la tête, effacer à jamais ces souvenirs hideux. La phrase que la policière avait dite à mon père résonnait dans ma tête : « Cette adresse n'existe pas ». Déjà, une première fois, la téléphoniste m'avait affirmé la même chose lorsque je cherchais le numéro de téléphone de Patrice. Pourtant je savais qu'elle existait ; j'y étais allé de nombreuses fois. Mais je ne voulais plus penser à Patrice et à cette nuit d'épouvante.

Une petite voix à l'intérieur de moi voulait se faire entendre, mais je la fis taire et m'empressai de chasser de mon esprit ce souvenir dément.

Chapitre 12

La noyade avec
un grand M

La fin de l'année scolaire approchait. Mes parents m'avaient sévèrement puni en me refusant toutes sorties jusqu'à la fin de juin. De toute façon, je n'avais nulle envie de sortir et je ne voulais voir personne.

Après m'être reposé un ou deux jours, je retournai dans la classe sans fenêtre de madame Fortier. En chemin, je pensais aux petites filles aux cheveux dorés. Allaient- elles m'attendre avec leur comptine ? Mais ce que je craignais par-dessus tout, c'était revoir Patrice. Une fois en classe, je vis qu'il était absent.

Le reste de la semaine, il ne vint pas en classe. Dans la cour de l'école, je cherchais des yeux les trois petites filles, mais elles semblaient, elles aussi, s'être volatilisées. Un matin, à la récréation, ce fut plus fort que moi, je questionnai madame Fortier.

— Madame Fortier, Patrice a-t-il quitté l'école ? lui demandai-je.

— Patrice ? Quel Patrice ?

— Le nouveau, celui que vous avez placé à côté de moi.

Elle me regarda d'un air hébété.

— De quoi parles-tu, Pierrot ? fit-elle doucement. Il n'y a pas eu de nouveau cette année.

— Vous vous trompez, m'exclamai-je en haussant la voix. Patrice, c'était mon ami, il était assis à côté de moi en classe. Il est gros, comme moi. On s'habille de la même façon, on porte la même coiffure, on a la même marque de vélo. Ses parents sont en voyage, mais lui, il était là.

Me prenant fermement par les épaules, madame Fortier me dit de me calmer et entra dans l'école, me laissant seul avec cette sensation de vertige qui m'assaillait. *Ce n'est pas possible,* me dis-je. *Elle se trompe, ils se trompent tous.*

Il ne restait que quelques jours avant les examens et j'étudiais sans relâche, préférant me perdre dans l'étude. Je voulais tout oublier, mais j'en étais incapable. Constamment j'étais dérangé par des pensées sombres qui m'embrouillaient l'esprit.

Le soir où pour la première fois j'avais parlé à Patrice, je me souvenais de cette sensation de vide qui m'avait fait tressaillir lorsqu'il m'avait tendu la main ! Je repensais sans cesse à mon « voyage en enfer » et au chef des diables qui disait que la mort n'a pas de reflet. J'avais été incapable de voir le reflet de Patrice dans l'eau de la piscine. Il riait en disant qu'il était l'homme invisible. Chez lui, j'avais eu beau chercher, on ne trouvait aucun miroir. Et ses parents ! Je ne les avais jamais rencontrés.

Qu'est ce que tout cela pouvait bien vouloir dire ? Étais-je devenu fou ? Avais-je perdu la raison ?

Un soir, alors que mes parents étaient endormis, je décidai de sortir. Je voulais en avoir le cœur net. Je retournerais chez Patrice pour m'assurer de quoi ? Je l'ignorais. Mais quelque chose d'indicible, indépendant de ma volonté, me poussait à y retourner une fois encore. Une dernière fois. J'empruntai la bicyclette de mon père et pris la direction du 666, rue Natas le plus silencieusement possible.

La maison de Patrice était plongée dans le noir. Je m'approchai lentement, sur le qui-vive, prêt à m'enfuir à la moindre alerte. Étrangement, la porte avant était entrebâillée ; je jetai un regard à l'intérieur, vide ! La maison était vide. Patrice et ses parents avaient dû déménager à nouveau, car lorsque je poussai doucement la porte, je vis qu'il ne restait aucun meuble. J'entrai sur la pointe des pieds et me rendis à l'étage de Patrice. Là aussi, tout avait disparu : le trampoline, le ballon de boxe, les

poids et haltères, la télé géante, les cassettes. Tout. Ils étaient bien partis.

Je fis lentement le tour de la maison,
évitant soigneusement le sous-sol, et m'arrêtai à la piscine. Son eau claire miroitait
au plafond et sur les murs, donnant à la
pièce une douce et étrange luminosité.

En voyant cette eau limpide, je fus saisi
d'une irraisonnable, mais irrésistible envie
de plonger une dernière fois dans ce qui
fut, il n'y avait pas si longtemps, ma source
d'évasion. Je me revoyais en pensée flottant sur les chambres à air avec Patrice.
Tout semblait si facile alors.

Contre toute logique, je me déshabillai
et me glissai dans l'eau tiède. Je me laissai flotter sur le dos, rêvassant à cette
période si agréable de ma vie.

Pourquoi avait-il fallu que ça finisse ?
Pourquoi Patrice s'était-il acoquiné avec
Steve ?

Soudainement, contre toute attente, je
sentis quelqu'un sous l'eau me tirer par un

pied. Je me redressai vivement de toutes mes forces et regagnai l'échelle. Inspectant le fond de la piscine, je ne vis que mon reflet. *Il n'y a personne ici,* me dis-je. *Mon imagination me joue de mauvais tours.*

Je m'installai sur une chambre à air et me laissai flotter quelques instants. Je crois que je dormis un peu. Lorsque je m'éveillai, je n'arrivais plus à respirer, j'avais la tête sous l'eau. La chambre à air s'était renversée et je flottais sur le ventre, les bras en croix.

Mon instinct de survie me disait de sortir la tête de l'eau, de respirer mais j'en étais incapable. Une forte pression sur ma tête et sur mon dos m'empêchait de me retourner. Incapable de voir ce qui me maintenait ainsi, je sentais mes poumons réclamer de toute urgence de l'oxygène. Une douloureuse brûlure envahit ma gorge, ma tête, mes yeux. C'est alors que je vis Patrice au fond de la piscine, la tête levée vers moi, les bras en croix. Il m'apparaissait comme dans un miroir, un miroir qu'on aurait placé au fond de la piscine et qui me reflétait en train de me noyer. Je voyais ses yeux exorbités par la douleur, sa bouche ouverte en quête d'oxygène, son corps obèse parcouru d'un puissant tremblement.

En le voyant ainsi, je compris que ce n'était pas Patrice qui se noyait. C'était moi !

Mon cerveau en manque d'oxygène créait des illusions démentielles. *Celui que tu nommes Patrice, c'est toi ! Tu es Pierrot-Patrice*, criait en moi une voix de panique. Mais je n'arrivais plus à réfléchir clairement. Était-il possible que j'aie délibérément créé Patrice ? Était-il possible que dans une sorte de délire j'aie créé un double ? Quelqu'un qui aurait été tout ce que je voulais être ?

Je réussis à voir ce qui faisait pression sur ma tête et sur mon dos. Je réussis à voir ce qui voulait m'empêcher de respirer, de vivre. C'était Patrice. Il était à la fois étendu au fond de la piscine et étendu sur moi. Il souriait et de sa bouche je voyais des bulles d'air s'échapper. Il formait silencieusement avec sa bouche des mots que je n'arrivais pas à reconnaître. Finalement je distinguai clairement le mot « mort ». « Va vers la mort », répéta-t-il plusieurs fois.

Non ! Je ne mourrai pas, me dis-je, et je me débattis de toutes mes forces afin d'échapper à Patrice.

Je le vis soudainement sur le bord de la piscine et, maintenant qu'il me laissait libre de remonter à la surface, libre de respirer, mes forces m'abandonnèrent.

Dans une ultime tentative, dans un dernier sursaut d'espoir, je lui tendis la main. Il allongea le bras et, allant saisir sa main, je ne ressentis qu'une impression de vide, tout comme le soir où, pour la première fois, je lui avais tendu la main en me présentant.

Chapitre 13

Mon père

C'est ainsi que mon père me trouva, la main tendue. Il s'empressa de prendre ma main et m'enlaça tout contre lui. Quelqu'un que j'aimais, quelqu'un qui m'aimait, me tenait dans ses bras, me consolait, me parlait tendrement.

Nous étions sur un grand terrain vague et je ne voyais nulle part la piscine ou la maison de Patrice.

— Où sommes-nous ? demandai-je à mon père d'une voix faible.

— Je ne sais pas, répondit-il. Je t'ai entendu sortir et je t'ai suivi.

— La maison de Patrice, où est-elle ? La piscine ? J'ai cru me noyer.

Mon père me regardait, sans comprendre.

— Tu pédalais si vite, reprit-il, qu'à un moment, dans un tournant, je t'ai perdu de vue. J'ai continué d'avancer, et puis je t'ai vu là, allongé par terre, les bras en croix et la main tendue. Tu semblais avoir cessé de respirer.

— Tu m'as retrouvé ici ? Ce n'est pas possible ! J'étais dans la piscine.

Mon père regardait autour de nous, consterné. Il n'y avait aucune maison, aucune piscine aux alentours.

— Tu es peut-être tombé, continua mon père après un moment. Tu t'es peut-être frappé la tête sur une roche. Pendant un moment je t'ai cru mort, tu ne respirais plus. Tu m'as fait vraiment peur. Mais heureusement, lorsque je t'ai soulevé, tu t'es remis à respirer normalement.

Mon père m'aida à me relever. J'allais reprendre sa bicyclette lorsque je vis, à un bout du terrain vague, ma propre bicyclette, celle que j'avais égarée le soir où Patrice m'avait fait prendre de la drogue. Mais était-ce bien Patrice ?

Vraiment, tout me semblait confus et je n'arrivais plus à penser clairement. La maison, la piscine, Patrice, la drogue Je n'y comprenais plus rien.

— Regarde, papa, mon vélo. Il est ici.

Pendant que mon père plaçait nos deux bicyclettes dans le coffre de sa voiture, je m'éloignai. J'examinais les alentours dans l'espoir d'apercevoir la maison de Patrice.

Comme par magie, Steve Morissette surgit à côté de moi.

— Tiens, dit-il en me tendant un petit paquet, je t'ai apporté ce que tu m'as demandé.

Dans mon esprit encore confus, j'eus, l'espace d'un instant, une vision qui me jeta dans un trouble plus grand encore. Je me voyais dans la cour de l'école et c'était moi, et non Patrice, qui échangeais une poignée de main avec Steve. C'était moi qui achetais la drogue !

Cette pensée fugace me mortifia. *Ce n'est pas moi ! Ce n'est pas moi !* criai-je en m'éloignant à toute vitesse. Mon père se retourna à mes cris. Il me regarda sans dire un mot et levant la tête, il aperçut Steve.

— Viens, me dit-il. Il est tard.

Chapitre 14

L'espoir

Le choc de cette rencontre avec Steve me plongea dans un malaise inexprimable. Il est vrai qu'à plusieurs reprises j'avais fait le vœu de changer de vie. Toute cette histoire, l'avais-je inventée ? Avais-je inventé Patrice, sa maison, sa piscine ? Dans quel but ? Était-ce vraiment moi qui avais acheté et consommé la drogue ?

Ces questions obsédantes auxquelles je ne voulais pas répondre me firent sombrer dans le tunnel noir de l'inconscience.

Je ne voulais plus penser. Je voulais faire taire en moi cette voix qui avait dit *Tu es Pierrot-Patrice*. Je me refusais à cette réalité et me recroquevillai en moi-même, dans un endroit que personne ne connaissait, auquel j'étais seul à avoir accès. Je restai ainsi prostré pendant plusieurs semaines.

Mes parents, voyant ma souffrance, me parlaient souvent, m'expliquant qu'ils comprenaient mon besoin de liberté. « Tout allait changer », disaient-ils. Ils me laissèrent même décorer ma chambre à ma guise.

J'avais beaucoup maigri et, lorsque je me regardais dans le miroir, c'était vraiment moi, Pierrot, que je voyais. Patrice avait disparu.

J'avais souhaité changer de vie et j'avais frôlé la mort et l'enfer.

Ce drame, malgré toute la souffrance qu'il provoqua en moi, me redonna quelque chose d'unique, quelque chose que j'avais perdu, il fit renaître en moi l'espoir. Je pus voir la vie sous son vrai jour. Même si j'avais inventé Patrice, même si j'avais inventé un double à la vie parfaite, je savais désormais que la vraie vie est encore plus belle ; il n'en tenait qu'à moi que les gros nuages dans le ciel redeviennent de magnifiques chevaux blancs.

L'été arrivait à sa fin et j'entrai à l'école secondaire. J'étais heureux de ne plus retourner dans la classe sans fenêtre de madame Fortier.

J'étais plus sûr de moi, plus confiant et j'attirais facilement l'amitié. Dans cette nouvelle école, je me fis sans effort de nombreux copains, tous très différents de moi.

Un matin, alors que j'attendais que le professeur de géographie entre en classe, une jeune fille vraiment jolie, assise à une table près de la mienne, se pencha vers mon agenda.

— Tu t'appelles Pierrot ? fit-elle, lisant mon nom sur la page couverture.

— Euh, oui.

— J'adore ce prénom, dit-elle en me regardant droit dans les yeux. Son regard doux et clair était comme une caresse.

— Mon cousin se nomme Pierrot, continua-t-elle, et c'est un garçon fantastique.

Elle me sourit et moi, baissant les yeux, rougissant un peu, je pensai que, oui, c'est vrai, Pierrot c'est un prénom fantastique !

Épilogue

À ce jour, je n'ai pas encore compris comment j'en étais venu à inventer toute cette histoire de Patrice. Il m'arrive souvent de me dire que je ne l'ai pas inventée, qu'elle a bel et bien existé. Quoi qu'il en soit, jamais je ne retournai au 666, rue Natas. Jamais je ne revis les trois petites filles aux cheveux dorés.

Peut-être vivent-elles avec Patrice, quelque part au fond de moi, mais jamais je ne les laisserai reprendre possession de moi ou contrôler ma vie. Aujourd'hui mon cœur est rempli d'espoir et je sais que je suis le maître unique de ma destinée.

TABLE DES MATIÈRES

Des livres pour toi

aux Éditions de la Paix

127, rue Lussier

Saint-Alphonse-de-Granby, Qc J0E 2A0

Téléphone et télécopieur (450) 375-4765

info@editpaix.qc.ca
www.editpaix.qc.ca

Collection DÈS 9 ANS

Viateur Lefrançois

Coureurs des bois à Clark City (tome I)

Les Facteurs volants (tome II)

Dans la fosse du serpent à deux têtes

Sélection de Communication jeunesse

Traduit en espagnol

Jocelyne Ouellet

Mon Ami, mon double

Mat et le fantôme

Julien César

Claudine Dugué

Le Petit Train de nuit

Gilles Côtes

Le Violon dingue

Sorcier aux trousses

Libérez les fantômes

Sélection de Communication jeunesse

Mylen Greer

La Maison de Méphisto

Danielle Boulianne

Babalou et la pyramide du pharaon

Francine Bélair

SOS porc-épic

Les Dents d'Akéla

Sélection de Communication jeunesse

Jacinthe Lemay

Le trop petit sapin

Claudette Picard

L'Enfant-ballon

Claire Mallet

Un Squelette mal dans sa peau

Francis Chalifour

Zoom Papaye

Danielle Simd

La Prophétie d'Orion

Indiana Tommy

L'Étrange Amie de Julie [3]

    Sélection de Communication jeunesse

Collection PIERRE DE ROSETTE (en français, en anglais et en espagnol)

Fabienne Caron

    Les Bobos de Ludo

Collection À CHEVAL !

Marie-France Desrochers

    La Caverne de l'ours mal léché

    Le Plan V...

Collection ADOS/ADULTES

Michel Lavoie

    Un Soleil pour Alexandre

    L'Amour à la folie

Rollande Saint-Onge

    L'Île Blanche

Renée Amiot

    HEDN

    L'Autre Face cachée de la Terre